LLYFRAU
FI HEFYD!

"GELYN MAWR, DUW MWY!"

STORI GIDEON

Gan Marilyn Lashbrook

Addasiad Cymraeg gan Angharad Tomos

Darluniau gan Stephanie McFetridge Britt

CYHOEDDIADAU'R
GAIR

Mae **Gelyn Mawr, Duw Mwy!** yn stori gynhyrfus sy'n symud yn gyflym i helpu plant i ddeall pwysigrwydd rhoi Duw yn gyntaf yn eu bywydau. Bydd yn rhoi sicrwydd iddynt fod Duw yn maddau inni pan anghofiwn, a'i fod yn ein helpu i ymladd ein brwydrau yn erbyn y gelyn.

① Testun gwreiddiol: 1989 Rainbow Studies Inc.
Cyd-argraffiad byd-eang wedi'i drefnu gan
Angus Hudson Ltd., Llundain.
① Testun Cymraeg: 2000 Cyhoeddiadau'r Gair.
Argraffwyd yn yr Eidal.
Awdur y testun gwreiddiol: Marilyn Lashbrook
Darluniau gan: Stephanie McFetridge Britt
Testun Cymraeg: Angharad Tomos
Dymuna'r cyhoeddwyr gydnabod cymorth
Adran Olygyddol Cyngor Llyfrau Cymru.
Golygydd Cyffredinol: Aled Davies

ISBN 1 85994 248 2

Cyhoeddwyd gan:
Cyhoeddiadau'r Gair, Cyngor Ysgolion Sul Cymru,
Ysgol Addysg PCB, Safle'r Normal,
Bangor, Gwynedd, LL57 2PX.

"GELYN MAWR, DUW MWY!"

STORI GIDEON

Ceir y stori yn Pregethwyr 6 a 7

Yr oedd pobl Dduw wedi bod ar fai.
Buont yn ymladd ac yn dadlau ac yn twyllo.
Cawsant eu cosbi gan Dduw.

Ymosododd byddin fawr ar eu gwlad.
Roedd ar yr Israeliaid ofn.
I ffwrdd â hwy, gan guddio mewn ogofâu.

Doedd dim i'w wneud ond dechrau gweddïo. Clywodd Duw eu gweddïau. Rhoddodd arweinydd iddynt o'r enw GIDEON. Casglodd Gideon fyddin o'i gwmpas. Yr oedd miloedd o ddynion ynddi . . . 32,000 wedi cyfrif yn fanwl!

"Mae'r fyddin hon yn rhy fawr!" meddai Duw. Felly dywedodd Gideon wrthynt, "Os oes ar rywun ofn, mi gaiff fynd adre."

Aeth llawer o ddynion adref yn syth. Bellach, yr oedd byddin Gideon yn un llawer llai. Ond dywedodd Duw eto, "Mae'r fyddin hon yn rhy fawr!"

Gyda'i ddynion aeth Gideon i lawr at yr afon.
"Yfwch o'r afon," meddai. Rhoddodd y rhan
fwyaf eu hwynebau yn yr afon i yfed.
Dywedodd Gideon wrth y rhain am fynd adref
yn syth. Ond yfodd ambell un â'i ddwylo. Y
rhain a gafodd aros.

Erbyn hyn, dim ond **300** o ddynion oedd gan Gideon. Yr oedd arno ofn! Beth oedd modd ei wneud efo byddin mor fechan?

Meddai Duw wrth Gideon, "Dos i wersyll y gelyn a gwrando ar yr hyn sydd ganddynt hwy i'w ddweud."

Clywodd Gideon un dyn yn dweud, "Breuddwyd wirion gefais i yn awr. Breuddwydiais fod torth o fara wedi neidio i'r gwersyll gan daro ein pabell."

"Ystyr hynny yw y bydd Gideon yn ein trechu," meddai ei gyfaill.

Yr oedd Gideon MOR falch pan glywodd hyn. Prin y gallai aros yn llonydd!

Yn hapus iawn, aeth Gideon yn ôl i'w wersyll ei hun.

"Bydd Duw yn ein helpu i ennill!" meddai.

Rhoddodd Gideon *gleddyf* i bob dyn, *trwmped*, a *ffagl* wedi ei chuddio mewn llestr.

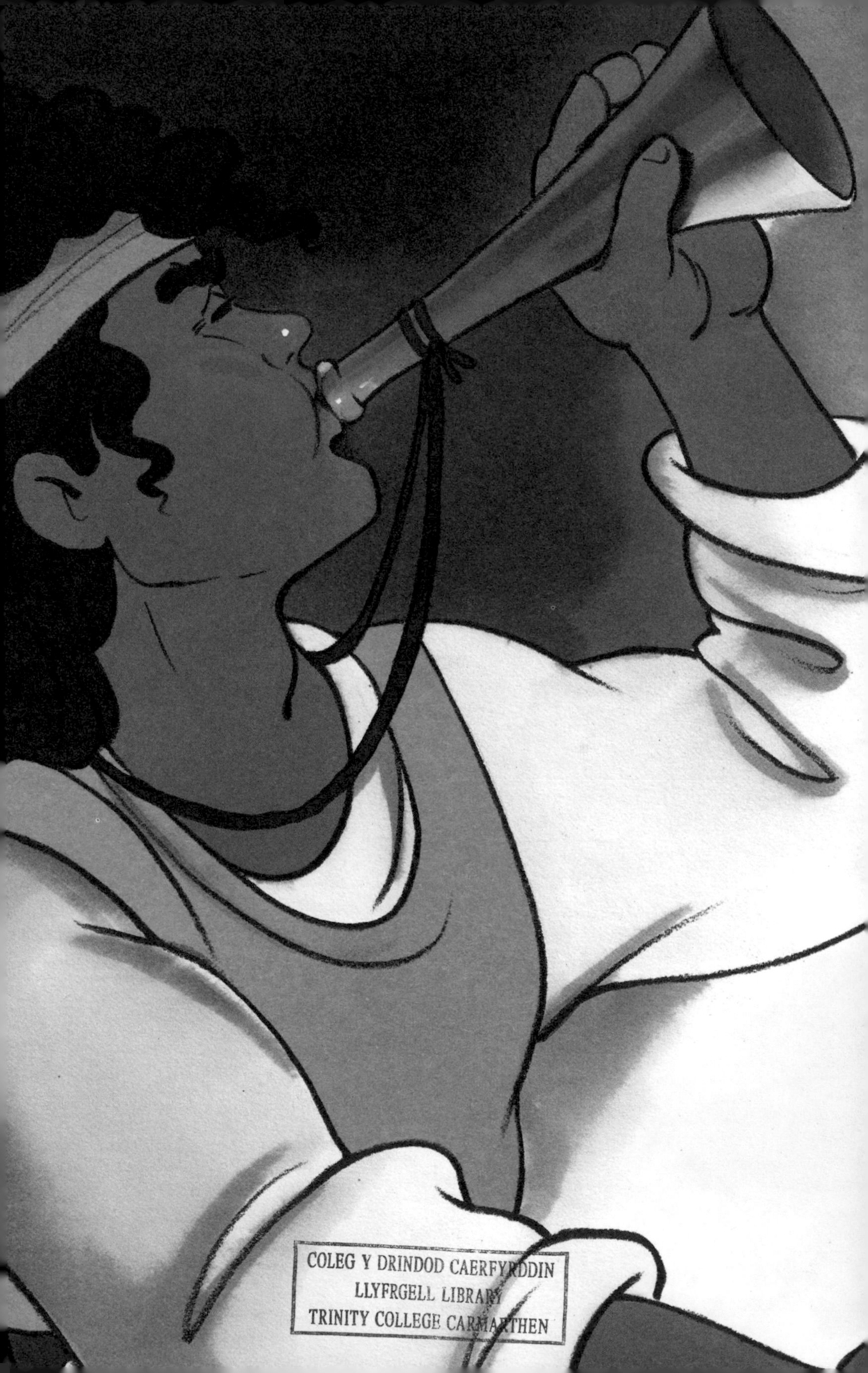

Gwnaeth milwyr Gideon gadwyn o amgylch gwersyll y gelyn. Yna **CHWYTHODD** Gideon ei drwmped a **MALU'R** llestr yn chwilfriw. Llosgai fflam y ffagl yn ddisglair.

Yn syth, gwnaeth pob un o filwyr Gideon yr un peth. "Cleddyf er mwyn yr Arglwydd a Gideon!" gwaeddodd pawb.

Yr oedd yr awyr ar dân. Dychrynnodd byddin y gelyn a ffoi am eu bywydau, bob un yn ei byjamas.

Yr oedd Duw wedi rhoi buddugoliaeth **FAWR**
i fyddin **FECHAN** Gideon!
O'r diwedd, yr oedd y bobl yn saff.
"Mae'n rhaid i ti ein rheoli," meddent wrth
Gideon.

Ond atebodd Gideon, "Duw sydd wedi ein diogelu. **DUW** fydd yn ein rheoli."